PASATIEMPOS en ESPAÑOL

VOLUMEN

1

Pasatiempos en español 1
© 1992 - **ELI** s.r.l.
P.O. Box 6 - Recanati - Italia
Tel. +39/071/75 07 01 - Fax +39/071/97 78 51
E-mail: info@elionline.com
www.elionline.com

Impreso en Italia - Tecnostampa Recanati 00.83.093.0

ISBN **978-88-85148-50-5**

Pasatiempos en español es una publicación concebida para los chicos que empiezan a estudiar español.

El criterio metodológico de este libro se fundamenta en la utilización de imágenes que facilitan el aprendizaje del vocabulario básico y de juegos que tienen como misión captar la atención de los jóvenes lectores.

Se han escogido 16 temas entre los más familares e interesantes para los chicos como, por ejemplo, los números, los colores, la casa, la escuela, los animales, etc.

Cada tema consta de diez palabras que se van repitiendo a lo largo de una serie progresiva de tres juegos, para que los alumnos a las memoricen rápidamente.

Pasatiempos en español es un instrumento útil tanto en clase como en casa, sobre todo durante las vacaciones ya que supone una manera agradable de repasar el vocabulario aprendido.

Pasatiempos en español is especially designed for *primary school children* learning Spanish for the first time.

Its methodological approach is based on the use of *pictures* as a means to teach *basic vocabulary* and *games*.

Its engaging activities captivate young learners of all ages.

16 topics are presented, all of which are familiar and of interest to children in this age group. The topics range from numbers to colours, things we use at home and at school, animals, etc.

A vocabulary of *ten words* is given for each topic and these words are then used in a series of *three graded activities* designed to provide practice with the vocabulary and thus aid memorization.

Pasatiempos en español will certainly be useful both at school, during lessons and at home, especially as an activity book for school holidays.

Pasatiempos en español est une publication spécialement conçue pour des élèves qui abordent pour la première fois l'étude de l'espagnol.

L'approche méthodologique se fonde sur l'utilisation des images pour l'apport des premières informations lexicales de base et sur le jeu comme instrument permettant un enseignement plus convivial.

16 Familles de mots: chiffres, couleurs, objets courants, école, animaux, etc. proposent aux jeunes apprenants une dizaine de mots en images, réemployés dans une série progressive de 3 jeux différents visant à une mémorisation croissante.

Pasatiempos en español peut représenter un outil linguistique utile et agréable tant à l'école qu'à la maison.

Son utilisation est conseillée également pendant les vacances scolaires.

Pasatiempos en español ist ein neues Buch, das eigens für Schüler die den ersten Kontakt mit der spanischen Sprache haben, ausgearbeitet wurde. Die dafür gewählte Methodologie basiert auf der Verwendung von Bildern zur Vermittlung der ersten lexikalischen Grundbegriffe. Die darin vorkommenden Spiele sollen die jungen Leser zur aktiven Mitarbeit anregen.

Es wurden 16 ansprechende Themen ausgewählt: Tiere, Schule, Farben, Zahlen usw. Zu jedem Thema gehören 10 Vokabeln, die in drei verschiedenen Spielen mit steigendem Schwierigkeitsgrad verwendet werden. Diese Methode erleichtert den Schülern das Einprägen der neuen Wörter.

Pasatiempos en español kann als nützliches didaktisches Hilfsmittel

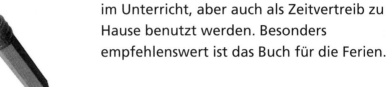

im Unterricht, aber auch als Zeitvertreib zu Hause benutzt werden. Besonders empfehlenswert ist das Buch für die Ferien.

Pasatiempos en español è una pubblicazione studiata appositamente per i ragazzi che si accostano, per la prima volta, allo studio della lingua spagnola.

La scelta metodologica alla base del volume è quella dell'utilizzo delle immagini per convogliare le prime basilari informazioni lessicali e del gioco come strumento di coinvolgimento dei giovani lettori.

Sono stati scelti 16 temi tra i più familiari ed interessanti per i ragazzi: dai numeri ai colori, dagli elementi della casa e della scuola agli animali, ecc.

Ciascun tema presenta 10 vocaboli che vengono poi ripresi in una serie graduata di 3 giochi diversi, al fine di consentirne la progressiva memorizzazione.

Pasatiempos en español può rappresentare un utile sussidio linguistico sia a scuola durante le lezioni, sia a casa come piacevole ripasso. Il suo utilizzo è consigliato anche nel corso delle vacanze scolastiche.

LOS NÚMEROS

uno

dos

tres

cuatro

cinco

seis

siete

ocho

nueve

diez

RELACIONA

ocho

tres

dos

seis

siete

cinco

nueve

uno

diez

cuatro

CRUCIGRAMA

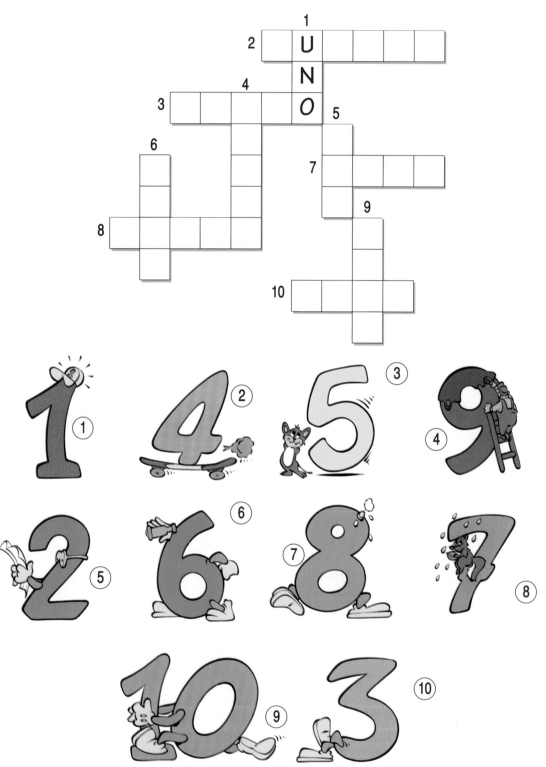

SOPA DE LETRAS

 1  2  3  4

 5

A	U	K	A	Z	A	T	O	D	G	G	E	K
F	N	T	D	O	S	H	T	O	L	C	M	A
T	O	L	R	J	U	E	R	N	B	I	K	A
O	L	N	E	G	I	T	E	P	O	N	E	E
N	C	U	A	T	R	O	S	L	K	C	Z	Q
L	J	E	R	N	F	H	U	E	S	O	H	G
O	S	K	J	S	I	E	T	E	T	Y	N	M
I	E	R	T	N	G	P	Z	I	G	T	U	H
O	I	L	P	O	C	H	O	K	T	R	E	T
Z	S	J	B	F	R	E	I	O	P	M	V	N
U	H	G	T	D	I	E	Z	M	P	K	E	N
K	H	T	F	C	D	S	Z	K	P	L	M	P
M	O	K	J	N	B	G	R	F	D	C	N	I
M	P	N	J	U	Y	G	V	C	D	Y	T	H

 6

 7

 8  9  10

LOS COLORES

rojo   amarillo   azul

verde   rosa

violeta   naranja   marrón

blanco   negro

marrón

rojo

negro

rosa

azul

verde

naranja

violeta

blanco

amarillo

CRUCIGRAMA

SOPA DE LETRAS

☐

 ☐

☐

☐

☐

A	U	K	A	Z	A	T	O	D	G	G	E	K
M	A	M	A	R	I	L	L	O	K	N	B	I
P	M	L	K	J	Y	T	R	F	G	V	B	H
P	B	O	M	A	R	R	O	N	P	L	J	K
H	L	I	U	H	G	T	R	E	D	F	G	V
U	A	P	R	L	V	I	O	L	E	T	A	J
J	N	E	O	P	M	L	J	Y	G	C	F	D
B	C	I	S	M	N	A	R	A	N	J	A	T
V	O	K	A	M	P	O	L	K	N	H	Y	T
E	P	O	J	N	M	R	O	J	O	M	P	O
R	P	L	K	E	G	V	F	D	E	R	T	Y
D	O	L	K	G	F	A	Z	U	L	I	K	J
E	I	K	J	R	O	L	K	J	U	G	T	Y
P	M	L	I	O	L	K	I	U	H	G	Y	G

☐ ☐

☐  ☐

LA ESCUELA

la pluma

el lápiz

el libro

el cuaderno

los rotuladores

la goma

la regla

el sacapuntas

el estuche

la mochila

 la mochila

la pluma

 la regla

los rotuladores

 el libro

la goma

el cuaderno

el estuche

el lápiz

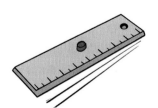

el sacapuntas

CRUCIGRAMA

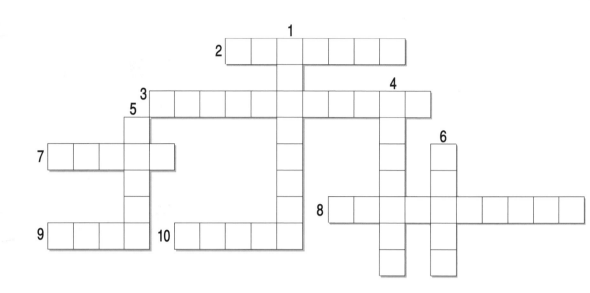

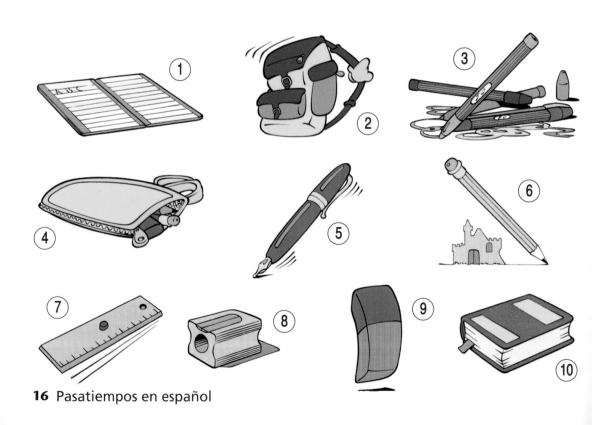

SOPA DE LETRAS

 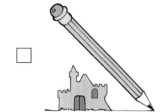 

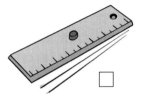

M	C	O	M	O	C	H	I	L	A	I	R	P
M	U	O	L	K	J	H	G	T	Y	I	O	L
S	A	T	E	I	P	L	U	M	A	Y	T	L
F	D	U	S	I	J	U	Y	T	G	R	U	M
U	E	N	T	M	L	I	R	M	P	O	L	P
N	R	M	U	N	A	O	E	O	L	M	A	N
L	N	V	C	I	P	K	G	U	K	I	D	M
T	O	J	H	N	I	K	L	O	P	M	O	A
H	G	T	E	K	Z	D	A	T	Z	S	R	C
K	J	N	B	F	D	E	Z	Q	X	W	E	P
S	A	C	A	P	U	N	T	A	S	O	S	P
P	M	L	O	I	J	Y	G	F	R	E	Z	Z
K	L	O	G	O	M	A	K	I	J	H	E	R
M	P	O	F	G	Y	T	L	I	B	R	O	A

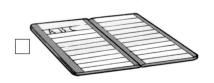

LA CASA

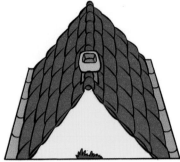
el tejado

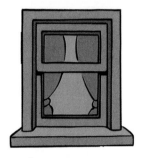
la ventana

la puerta

el jardín

la cancela

la cocina

el dormitorio

el salón

el cuarto de baño

las escaleras

RELACIONA

el tejado

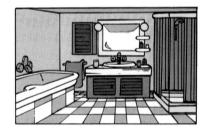

el salón

la cancela

la cocina

la puerta

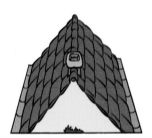

el jardín

la ventana

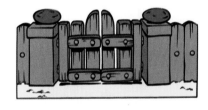

el dormitorio

el cuarto de baño

las escaleras

CRUCIGRAMA

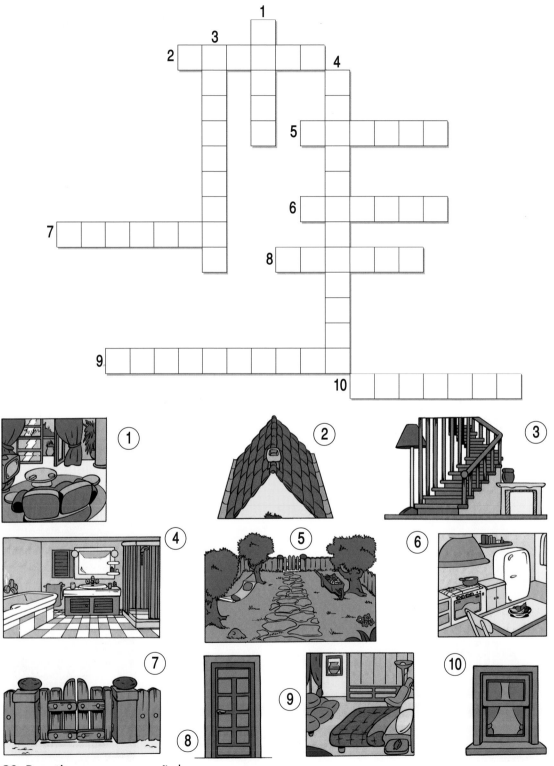

SOPA DE LETRAS

C	M	S	O	I	J	U	H	Y	T	F	E	I
U	B	A	O	T	E	J	A	D	O	J	S	P
A	M	L	N	J	I	U	K	G	H	F	C	P
R	L	O	B	J	O	C	J	L	D	P	A	Z
T	M	N	T	A	U	O	K	I	O	A	L	P
O	F	R	T	R	H	C	I	L	R	S	E	H
D	O	K	H	D	S	I	V	N	M	L	R	A
E	G	F	D	I	B	N	J	H	I	S	A	Q
B	G	F	D	N	E	A	G	H	T	F	S	Y
A	B	H	G	F	D	S	A	S	O	N	B	V
Ñ	N	C	A	N	C	E	L	A	R	N	B	V
O	L	I	U	Y	T	R	E	F	I	L	P	M
B	V	E	N	T	A	N	A	L	O	M	P	L
T	P	U	E	R	T	A	J	Y	G	R	F	D

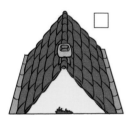

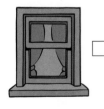

 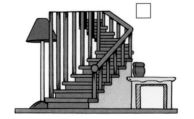 

LA CIUDAD

la calle

el semáforo

el paso de cebra

la cabina telefónica

la acera

la plaza

la farola

la señal de tráfico

el parque

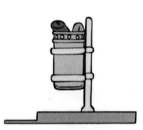
la papelera

RELACIONA

la farola

la acera

la calle

la plaza

la cabina telefónica

el parque

el paso de cebra

el semáforo

la señal de tráfico

la papelera

CRUCIGRAMA

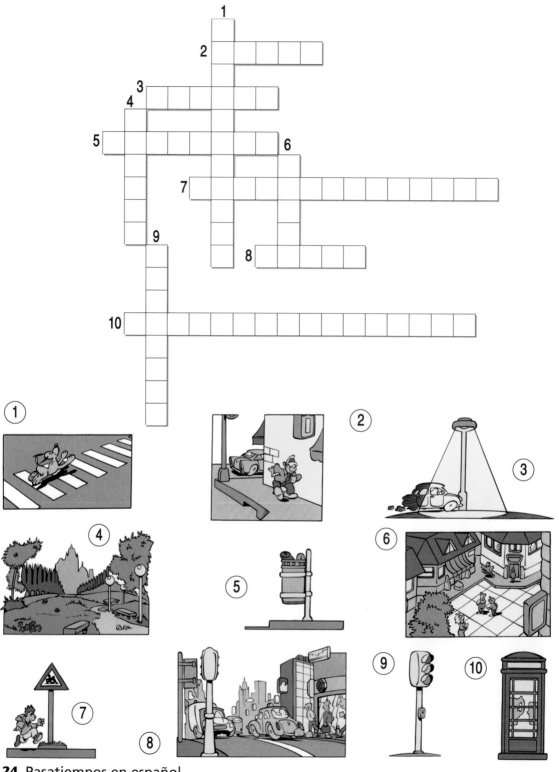

SOPA DE LETRAS

 □

 □

 □

 □

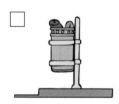 □

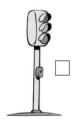 □

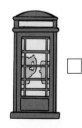 □

C	K	I	U	P	M	L	K	I	N	F	S	Q
A	N	J	Y	A	V	A	C	E	R	A	E	U
B	M	P	H	S	B	H	Y	T	R	E	Ñ	A
I	V	A	I	O	L	C	A	L	L	E	A	S
N	O	P	K	D	Y	H	B	J	I	K	L	Q
A	I	E	G	E	Y	T	G	H	U	I	D	A
T	O	L	B	C	U	P	A	R	Q	U	E	S
E	R	E	T	E	U	H	G	T	F	D	T	D
L	H	R	V	B	I	U	Y	G	T	R	R	M
E	M	A	I	R	P	L	A	Z	A	I	A	M
F	R	T	Y	A	H	J	K	U	E	Z	F	A
O	J	F	A	R	O	L	A	K	J	H	I	N
N	V	G	T	F	R	E	D	S	V	C	C	M
I	M	S	E	M	A	F	O	R	O	K	O	P
C	K	L	O	I	U	H	G	T	F	R	D	M
A	G	R	F	C	D	E	S	Z	Q	V	C	F

 □

 □

 □

LOS MEDIOS DE TRANSPORTE

la bicicleta

la motocicleta

el coche

el autobús

el taxi

el camión

el tren

el barco

el helicóptero

la avioneta

RELACIONA

la avioneta   el coche   el tren

el taxi   el helicóptero

el barco   el autobús   el camión

la motocicleta   la bicicleta

 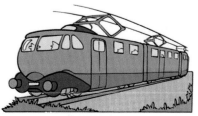

CRUCIGRAMA

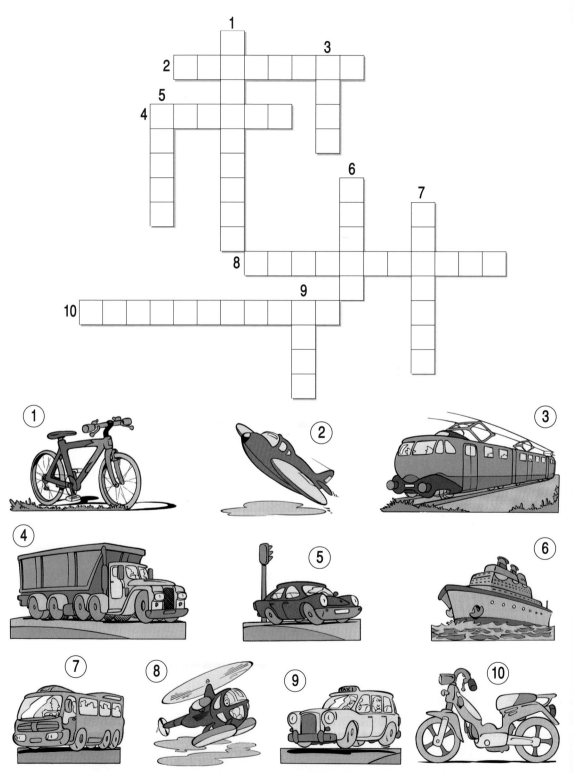

SOPA DE LETRAS

M	M	T	A	X	I	H	M	P	O	L	K	A
O	I	U	Y	B	J	E	P	C	L	O	I	V
T	D	A	T	I	M	L	P	O	I	U	Y	I
O	P	U	B	C	T	I	K	C	I	U	Y	O
C	K	T	H	I	N	C	Y	H	M	O	L	N
I	C	O	M	C	Y	O	M	E	G	V	C	E
C	U	B	M	L	O	P	M	L	K	J	H	T
L	P	U	T	E	F	T	U	T	R	E	N	A
E	I	S	Y	T	M	E	I	U	J	G	Y	F
T	K	J	O	A	Y	R	K	I	U	Y	T	R
A	P	M	L	O	I	O	M	L	K	J	H	G
I	B	A	R	C	O	L	C	A	M	I	O	N
P	O	I	U	Y	T	W	E	Z	Q	A	S	D
G	H	J	K	L	M	P	O	I	U	U	Y	T

LA NATURALEZA

la montaña

la colina

el árbol

la flor

el río

el lago

el mar

el campo

el bosque

la hierba

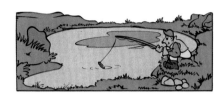

el mar   la flor   el bosque

la montaña   la colina

el río   la hierba   el lago

el campo   el árbol

CRUCIGRAMA

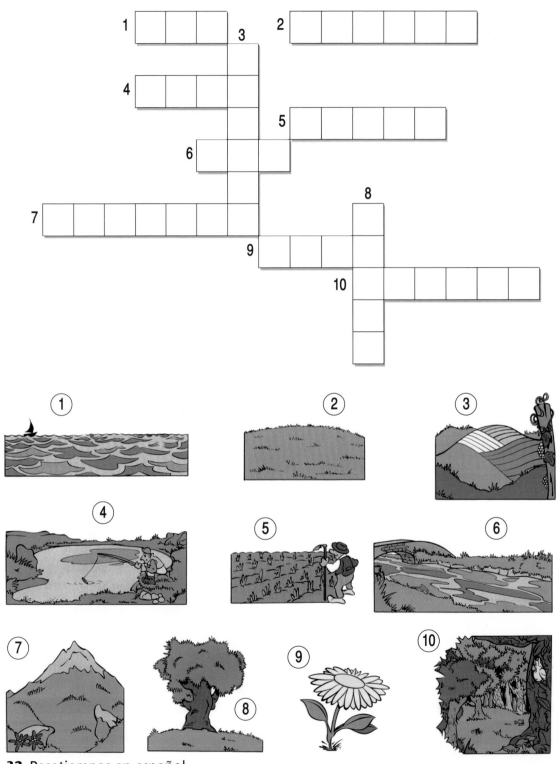

SOPA DE LETRAS

 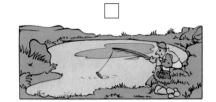 

```
A M P O I U Y T R E Z Q A
M A J H B C O L I N A H G
N R O I J K L M H G F D S
S D E E J L M O I U Y T R
M P O R G A Y C A M P O G
M M G B F G Y T R E Z Q I
M O K A Y O M R G F D B Q
Y N K J H G F I P M K O W
M T N A U Y H O P M L S X
R A U R H J K L O I N Q A
P Ñ M B P F L O R J H U D
P A U O M P O I J H Y E B
A D E L O I J H G F T R E
N H B G F R D E S E S A U
```

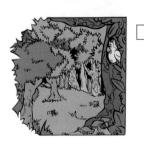 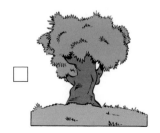 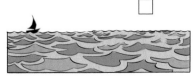

EL TIEMPO

la mañana

la tarde

la noche

la madrugada

el sol

las nubes

la lluvia

el viento

la niebla

la nieve

RELACIONA

la lluvia

la nieve

la tarde

el viento

la noche

el sol

la niebla

la madrugada

las nubes

la mañana

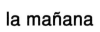

Pasatiempos en español **35**

CRUCIGRAMA

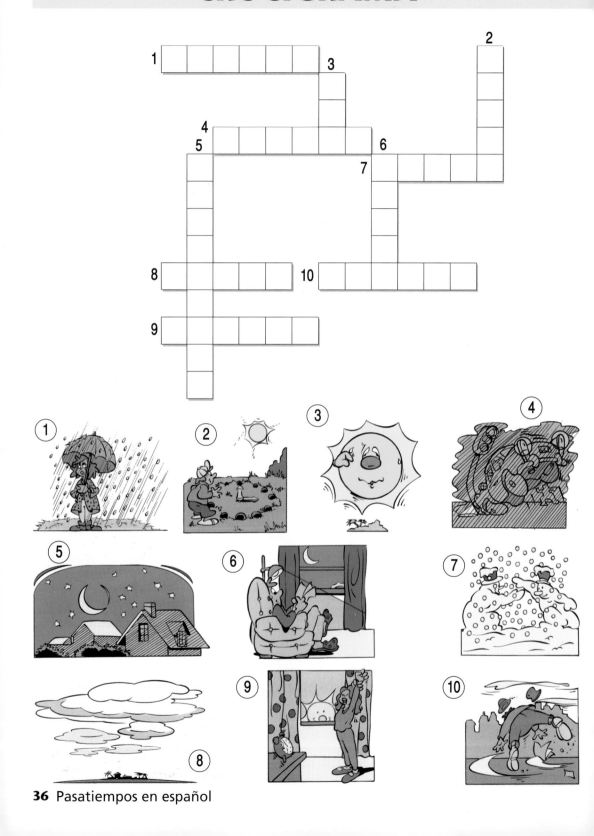

SOPA DE LETRAS

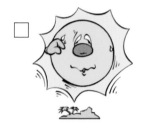

M	M	T	A	X	I	H	M	P	O	L	K	A
A	M	P	T	A	T	D	E	N	I	U	H	E
R	A	M	P	L	A	B	V	F	D	S	T	A
I	Ñ	H	G	N	R	N	O	C	H	E	C	N
F	A	U	J	I	D	S	Z	A	S	O	L	O
V	N	M	L	E	E	N	H	G	N	F	D	C
I	A	M	F	B	R	I	K	J	U	R	E	V
C	D	M	A	D	R	U	G	A	D	A	U	I
I	U	Ñ	D	A	R	V	Y	L	E	G	F	E
Z	N	U	B	E	S	N	H	L	S	U	I	N
V	B	N	P	M	L	I	K	U	U	H	Y	T
N	I	E	B	L	A	E	E	V	T	O	P	O
A	Z	E	R	T	Y	V	I	I	P	M	L	K
M	P	O	L	K	U	E	H	A	Y	T	G	B

LOS ANIMALES DOMÉSTICOS

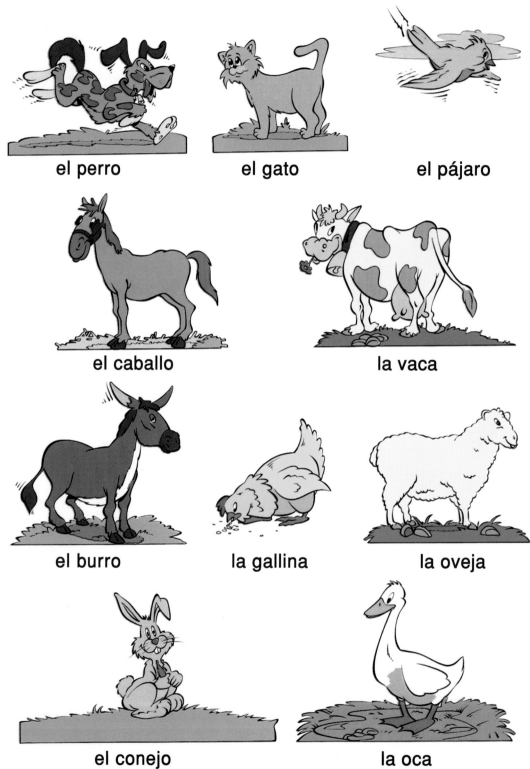

el perro

el gato

el pájaro

el caballo

la vaca

el burro

la gallina

la oveja

el conejo

la oca

la vaca

el pájaro

el perro

el caballo

la gallina

el burro

la oca

la oveja

el conejo

el gato

CRUCIGRAMA

SOPA DE LETRAS

 □

 □

 □

 □

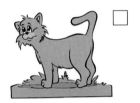 □

 □

V	C	M	L	O	K	I	J	U	H	Y	G	T
J	A	H	G	A	T	O	K	O	L	G	P	O
H	B	L	K	J	H	Y	U	V	G	A	M	P
N	A	M	V	A	C	A	I	E	M	L	I	U
O	L	M	P	H	R	E	D	J	V	L	I	U
I	L	V	P	R	E	C	S	A	H	I	N	B
N	O	T	A	V	G	O	F	R	E	N	C	X
W	X	C	J	V	C	N	R	E	Z	A	D	X
I	B	R	A	G	V	E	U	Y	H	B	G	V
I	U	T	R	D	F	J	B	P	E	R	R	O
M	R	N	O	L	K	O	M	P	O	I	U	M
N	R	M	L	O	K	U	J	H	N	B	Y	G
P	O	K	J	H	N	O	C	A	J	N	V	F
Q	S	D	F	Y	H	N	J	I	K	O	L	M

 □

 □

 □

 □

LOS ANIMALES SALVAJES

el león

el elefante

el tigre

la jirafa

el mono

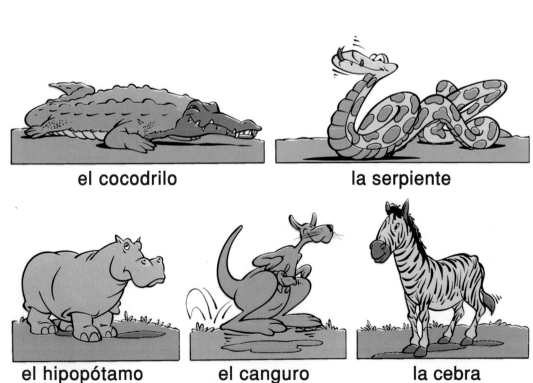

el cocodrilo

la serpiente

el hipopótamo

el canguro

la cebra

RELACIONA

el cocodrilo

el canguro

la cebra

el león

el hipopótamo

el mono

la serpiente

el tigre

la jirafa

el elefante

CRUCIGRAMA

SOPA DE LETRAS

 ☐
 ☐
 ☐
 ☐

 ☐

 ☐

 ☐

H	N	B	V	F	R	D	C	S	E	R	T	Y
I	N	C	A	N	G	U	R	O	M	L	N	B
P	I	J	H	Y	G	T	F	R	D	E	C	X
O	N	B	M	O	N	O	L	C	V	O	F	D
P	A	S	D	F	G	H	J	K	L	N	V	C
O	S	E	L	E	F	A	N	T	E	B	V	E
T	E	J	H	G	F	D	S	N	B	T	C	B
A	R	H	J	N	B	V	F	D	C	I	M	R
M	P	K	I	J	T	F	D	E	R	G	C	A
O	I	J	R	N	B	G	F	R	A	R	A	A
P	E	G	A	Y	T	U	Y	T	C	E	T	G
M	N	G	F	C	O	C	O	D	R	I	L	O
O	T	H	A	V	G	F	R	D	E	S	Z	A
J	E	B	V	G	F	R	T	F	R	D	R	U

 ☐

 ☐

 ☐

LA COMIDA

el pan

la carne

el pescado

el huevo

las patatas fritas

el queso

el pollo

las galletas

la tarta

el helado

RELACIONA

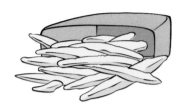

el pescado

las galletas

la carne

las patatas fritas

el huevo

el queso

el helado

la tarta

el pollo

el pan

CRUCIGRAMA

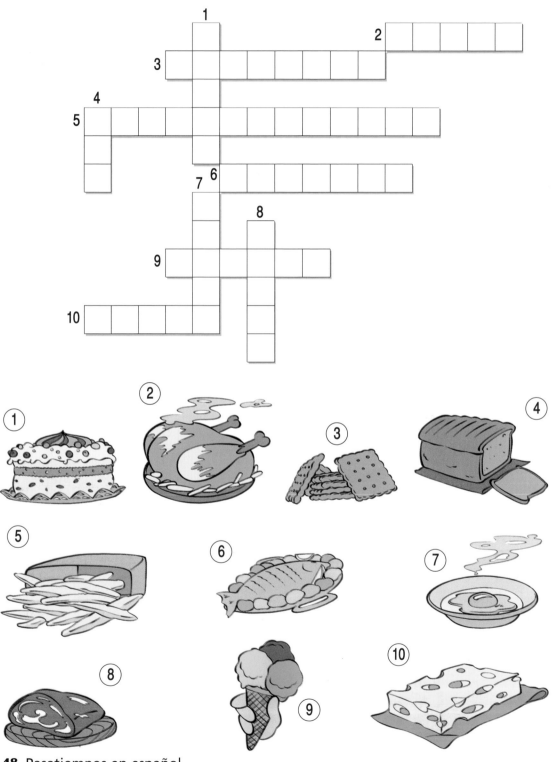

SOPA DE LETRAS

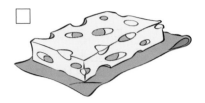

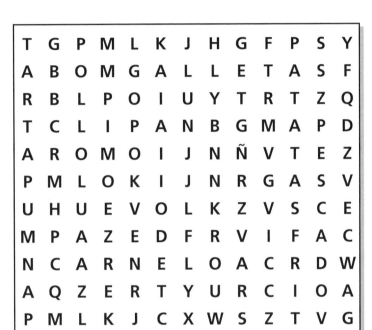

T	G	P	M	L	K	J	H	G	F	P	S	Y
A	B	O	M	G	A	L	L	E	T	A	S	F
R	B	L	P	O	I	U	Y	T	R	T	Z	Q
T	C	L	I	P	A	N	B	G	M	A	P	D
A	R	O	M	O	I	J	N	Ñ	V	T	E	Z
P	M	L	O	K	I	J	N	R	G	A	S	V
U	H	U	E	V	O	L	K	Z	V	S	C	E
M	P	A	Z	E	D	F	R	V	I	F	A	C
N	C	A	R	N	E	L	O	A	C	R	D	W
A	Q	Z	E	R	T	Y	U	R	C	I	O	A
P	M	L	K	J	C	X	W	S	Z	T	V	G
L	H	E	L	A	D	O	N	B	V	A	F	R
T	R	F	D	C	S	S	Q	U	E	S	O	N
Q	Z	E	R	T	Y	U	I	O	P	M	L	J

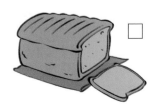

LA FRUTA

la manzana

la pera

el plátano

la naranja

la fresa

la cereza

la uva

el melocotón

la sandía

la piña

RELACIONA

la piña

la manzana

la pera

la fresa

la uva

la cereza

el melocotón

el plátano

la naranja

la sandía

CRUCIGRAMA

SOPA DE LETRAS

P	P	N	M	A	N	Z	A	N	A	V	C	F
H	L	U	Y	T	R	E	Z	X	B	U	F	D
V	A	Y	T	F	R	E	S	A	A	N	V	P
P	T	B	S	Y	T	G	H	O	M	M	A	Q
C	A	T	A	Y	F	R	E	E	E	E	G	V
I	N	K	N	B	C	T	R	E	L	M	N	V
I	O	N	D	V	E	C	X	W	O	N	B	V
U	Y	T	I	V	R	C	P	H	C	R	F	D
U	J	H	A	C	E	F	I	N	O	L	K	J
P	O	I	U	Y	Z	V	Ñ	N	T	G	F	D
P	E	R	A	V	A	J	A	C	O	I	U	Y
L	K	J	N	B	H	G	T	R	N	B	V	C
T	R	F	D	C	X	S	W	A	Z	E	A	F
M	N	A	R	A	N	J	A	T	R	E	D	O

EL CUERPO HUMANO

la cabeza

el pelo

los ojos

la nariz

la boca

las orejas

el brazo

la mano

la pierna

el pie

RELACIONA

la mano

el pie

la cabeza

la pierna

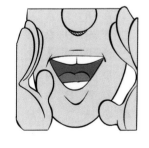

las orejas

el brazo

la nariz

el pelo

la boca

los ojos

CRUCIGRAMA

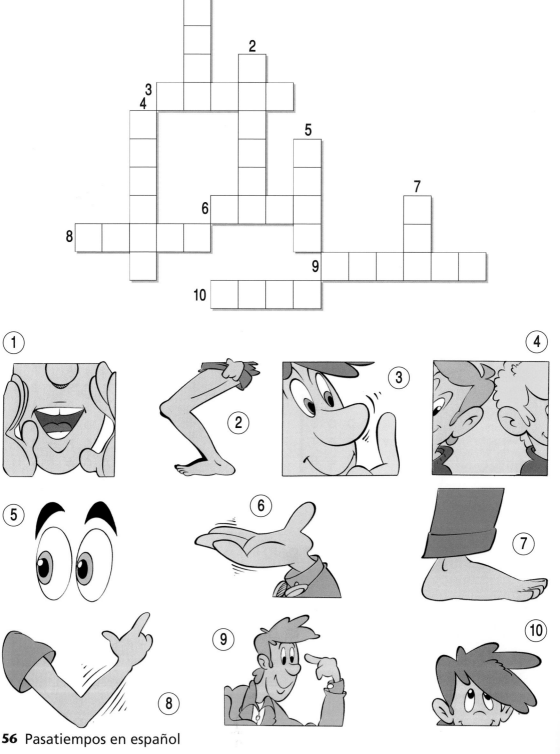

SOPA DE LETRAS

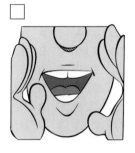

N	B	J	H	G	V	F	C	D	S	N	N	B
P	O	M	P	I	E	R	N	A	Z	A	F	C
N	C	U	Y	H	B	V	G	T	R	R	N	V
P	A	U	O	R	E	J	A	S	B	I	J	H
P	O	I	U	Y	T	R	E	E	D	Z	B	V
M	O	N	M	A	N	O	B	V	C	Y	C	I
I	J	V	C	X	S	E	P	N	B	H	A	E
T	O	N	B	U	Y	T	I	R	F	D	B	Z
B	S	C	R	Y	T	R	E	V	G	T	E	S
I	U	Y	A	T	G	V	F	C	U	J	Z	G
P	O	I	Z	N	P	E	L	O	K	J	A	B
L	K	J	O	N	B	G	V	F	T	R	H	Y
P	M	L	K	J	U	H	B	G	F	V	C	D
T	R	F	G	T	R	F	V	N	J	H	U	I

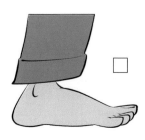 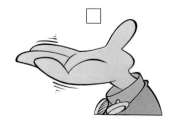 

LA ROPA

la camisa

la camiseta

los pantalones

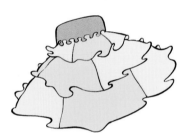

la falda

el jersey

la chaqueta

el abrigo

el sombrero

los calcetines

los zapatos

RELACIONA

  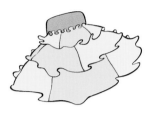

la falda

los pantalones

los zapatos

los calcetines

el jersey

la camisa

la camiseta

el sombrero

la chaqueta

el abrigo

CRUCIGRAMA

SOPA DE LETRAS

 □

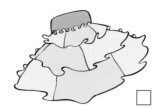 □

 □

 □

 □

 □

 □

 □

C	S	N	C	A	M	I	S	A	N	B	Y	T
A	O	N	B	H	Y	T	G	F	R	C	D	P
L	M	N	C	A	M	I	S	E	T	A	N	B
C	B	J	H	Y	G	T	F	R	D	E	S	Z
E	R	H	Z	V	F	A	L	D	A	U	J	E
T	E	D	A	B	V	C	F	T	G	C	E	M
I	R	L	P	M	A	H	G	F	D	H	R	N
N	O	M	A	V	B	I	U	Y	T	A	S	C
E	B	V	T	I	R	G	V	F	C	Q	E	X
S	V	C	O	P	I	H	G	B	V	U	Y	W
M	L	N	S	V	G	Y	T	R	X	E	B	V
I	J	N	B	H	O	H	B	V	C	T	C	X
P	A	N	T	A	L	O	N	E	S	A	V	E
U	J	H	G	T	F	R	D	E	S	E	V	C

 □

 □

LOS VERBOS

dormir

comer

beber

jugar

ver la televisión

escribir

leer

correr

levantarse

sentarse

RELACIONA

sentarse

jugar

dormir

comer

escribir

beber

levantarse

leer

ver la televisión

correr

CRUCIGRAMA

SOPA DE LETRAS

```
Q L K J B H G T F T R D B
L C O M E R B V J G V D E
O K J U H Y G T U R E F B
J D Y U E F C D G Y R J E
L O H B S T G F A V L H R
F R C X C L P O R K A T Y
O M Y H R C V D S W T D C
O I B N I T G F D C E C S
N R C F B Y L E E R L U E
O P M L I T R E S A E G N
O P G R R S X W A Q V I T
I J H Y G T F R D E I H A
N C O R R E R H B G S C R
K J B H G T R F D R I B S
L E V A N T A R S E O K E
N B H G T F R D E S N C V
```

LOS ADJETIVOS

bajo   alto   gordo   delgado

pequeño   grande

caliente   frío   triste   feliz

RELACIONA

   triste

feliz

pequeño

   delgado

caliente

alto

grande

gordo

bajo

   frío

CRUCIGRAMA

SOPA DE LETRAS

☐

☐

☐

☐

☐

☐

V	C	N	P	L	K	J	U	H	Y	G	T	G
V	A	D	E	F	G	O	R	D	O	L	R	C
M	L	N	Q	V	C	F	R	D	E	Y	I	X
N	I	J	U	G	D	S	Z	E	R	T	S	Q
N	E	R	E	D	E	F	G	H	J	K	T	W
M	N	V	Ñ	Y	L	T	R	F	D	R	E	D
P	T	V	O	L	G	F	E	L	I	Z	N	J
M	E	G	V	F	A	B	V	G	T	F	A	T
P	O	B	V	C	D	I	F	T	R	E	L	Z
I	U	A	V	C	O	I	R	V	C	F	T	A
O	I	J	Y	H	G	Y	I	H	B	G	O	S
R	F	O	B	V	C	T	O	H	T	C	S	A
U	Y	T	G	R	A	N	D	E	B	V	C	T
W	S	Z	E	D	J	I	O	L	M	P	L	K

☐

☐

☐

☐

LOS NÚMEROS 6

uno	seis
dos	siete
tres	ocho
cuatro	nueve
cinco	diez

LOS COLORES 10

rojo	violeta
amarillo	naranja
azul	marrón
verde	blanco
rosa	negro

LA ESCUELA 14

la pluma	la goma
el lápiz	la regla
el libro	el sacapuntas
el cuaderno	el estuche
los rotuladores	la mochila

LA CASA 18

el tejado	la cocina
la ventana	el dormitorio
la puerta	el salón
el jardín	el cuarto de baño
la cancela	las escaleras

LA CIUDAD 22

la calle	la plaza
el semáforo	la farola
el paso de cebra	la señal de tráfico
la cabina telefónica	el parque
la acera	la papelera

LOS MEDIOS DE TRANSPORTE 26

la bicicleta	el camión
la motocicleta	el tren
el coche	el barco
el autobús	el helicóptero
el taxi	la avioneta

LA NATURALEZA 30

la montaña	el lago
la colina	el mar
el árbol	el campo
la flor	el bosque
el río	la hierba

EL TIEMPO 34

la mañana	las nubes
la tarde	la lluvia
la noche	el viento
la madrugada	la niebla
el sol	la nieve

LOS ANIMALES DOMÉSTICOS 38

el perro	el burro
el gato	la gallina
el pájaro	la oveja
el caballo	el conejo
la vaca	la oca

LOS ANIMALES SALVAJES 42

el león	el cocodrilo
el elefante	la serpiente
el tigre	el hipopótamo
la jirafa	el canguro
el mono	la cebra

LA COMIDA 46

el pan	el queso
la carne	el pollo
el pescado	las galletas
el huevo	la tarta
las patatas fritas	el helado

LA FRUTA 50

la manzana	la cereza
la pera	la uva
el plátano	el melocotón
la naranja	la sandía
la fresa	la piña

EL CUERPO HUMANO 54

la cabeza	las orejas
el pelo	el brazo
los ojos	la mano
la nariz	la pierna
la boca	el pie

LA ROPA 58

la camisa	la chaqueta
la camiseta	el abrigo
los pantalones	el sombrero
la falda	los calcetines
el jersey	los zapatos

LOS VERBOS 62

dormir	escribir
comer	leer
beber	correr
jugar	levantarse
ver la televisión	sentarse

LOS ADJETIVOS 66

bajo	grande
alto	caliente
gordo	frío
delgado	triste
pequeño	feliz